*A mi padre*

Escrito e ilustrado por Štěpán Zavřel

# El último árbol

Texto revisado por Kurt Baumann
Traducción del alemán: Marinella Terzi

ediciones **sm** Joaquín Turina 39   28044 Madrid

En las afueras de la ciudad vivían un chico y una chica. El guardabosque iba a verlos frecuentemente. Y siempre les llevaba algo del bosque.

A veces, los dos niños acompañaban al guardabosque. Recogían hojas de árboles, agujas de pino y piñas. Luego las dibujaban y colgaban las hojas sobre las paredes del cuarto de estar de su casa. El viejo guardabosque les contaba muchas historias. Así aprendieron los niños que los abetos crecían en tierras más secas, que los pinos podían vivir en la arena, y que el plátano sufría con los fríos del invierno. Y que el abedul crecía mucho más al norte, en las tierras frías, mientras que el cedro necesitaba las temperaturas templadas de las costas.

—El roble puede vivir cien años —les decía el guardabosque mientras caminaba por el bosque—. Para los pueblos antiguos era un árbol sagrado. Y el cedro aún puede vivir más años. El rey Salomón construyó su templo con cedros. La madera de estos árboles es muy resistente.

Los niños observaron un cedro gigantesco. Su copa sobresalía por encima de los demás árboles.

—Quizá se deba a la resina —continuó el guardabosque—. La resina hace a la madera más duradera. Nuestros antepasados frotaban los pergaminos con resina de cedro para que lo escrito en ellos se conservase durante muchísimos años.

Se detuvo un momento.

—Antes, los cedros crecían junto al Mediterráneo. En Arabia y en el norte de África había bosques de cedros. Pero los hombres acabaron con ellos.

Un día, el alcalde fue a visitar a los niños y vio todos los dibujos que habían hecho. En todas las paredes había dibujos.

—Es la mejor manera de conocer el bosque —dijo satisfecho.

Luego, se dirigió al guardabosque:

—En la ciudad hay que construir un nuevo puente. ¿Cómo andas de madera?

El guardabosque sacudió la cabeza.

—Los retoños aún son muy jóvenes y un puente necesita mucha madera. Tendremos que esperar.

El alcalde estuvo de acuerdo. Luego, dijo a los niños:

—El bosque nos ayuda a vivir. Por mucho que utilicemos su madera, el bosque no se acaba. ¿Sabéis por qué?

Los niños no lo sabían.

El alcalde sonrió.

—Porque quien tala un árbol tiene que plantar otro nuevo. Así lo hemos hecho durante muchos años.

El viejo guardabosque asintió.

—Sí, aunque no siempre fue así —dijo. Y rellenó su pipa, la encendió con una rama fina y comenzó a contar:

«Hace muchos, muchos años, en las afueras de la ciudad vivían dos niños. La niña se llamaba Lea y el niño, Said. Se parecían mucho a vosotros. Vivían en una cabaña y recorrían juntos el bosque.

Con el tiempo llegaron a reconocer las diversas especies de árboles. Aprendieron que las agujas de los pinos son más claras que las de los abetos y que cuelgan de las ramas de dos en dos. Descubrieron que las agujas de los abetos no duran eternamente, sino que se caen a los pocos años, pero vuelven a crecer otras nuevas. Y que las agujas de los cedros, verdeoscuras como las de los abetos, no se caen nunca. Said y Lea estaban asombrados. ¡Qué distintos eran unos árboles de otros! Y entonces empezaron ellos mismos a plantar árboles.
Todos los días iban al bosque. Arrancaban con cuidado los pequeños árboles que crecían salvajes entre los grandes troncos y los plantaban en su jardín. Estaban contentos. Se sentían como profesores de una escuela de árboles. Y cuidaban de que sus alumnos no crecieran torcidos.
Por las tardes, cuando el sol rozaba el horizonte, llenaban unas grandes regaderas y daban agua a sus protegidos.

Un día, al atardecer, los niños vieron que tres hombres cruzaban el
puente. Los tres forasteros fueron a la plaza del mercado y dejaron sus
sacos. Dentro había pesados collares de oro y adornos brillantes.
Rodaron por todas partes pulseras con ámbar incrustado, perlas, corales
y nácar. La gente sintió curiosidad. ¿Qué querrían los comerciantes a
cambio de aquellos tesoros?
—Nada de particular, sólo madera —dijeron los extranjeros—. Pero
mucha, toda la que podáis conseguir. Si traéis mucha, os daremos aún
más joyas. Y también hemos pensado en los niños —añadieron
sonrientes—. Tenemos peladillas, chocolate, caramelos y azúcar cande.
La gente miraba aquellos adornos tan caros y todos estaban como
hechizados. Brindaron con los extranjeros y bailaron y cantaron sin parar
durante toda la noche.

Al día siguiente empezaron a trabajar. Los árboles, unos tras otros, fueron cayendo al suelo. Los golpes de las hachas retumbaban por el bosque.
Los tres forasteros estaban contentos. Repartían el oro y la plata y se llevaban la madera.

Así pasó una semana y otra. En el bosque empezaron a aparecer claros y algunas colinas ya se veían peladas. Pero nadie se daba cuenta. Ni nadie tenía tiempo para plantar nuevos retoños.

La tierra se volvió áspera y seca. Los arroyos llevaban poca agua y sólo
llovía de vez en cuando.
A medida que el bosque clareaba, las arcas de la gente se llenaban
de oro, plata, piedras preciosas y alhajas. Los cuellos de las mujeres se
doblaban bajo el peso de los collares. Los dientes de los niños ya
estaban amarillos, azules, verdes y negros de tantas golosinas.

Hacía ya mucho tiempo que Said y Lea habían tirado sus caramelos. Todas las noches recogían el rocío en unos grandes pañuelos que extendían sobre el suelo. Con el rocío y la poca agua que aún salía de la fuente regaban con cuidado los jóvenes arbolitos de su jardín. En el lugar en donde antes crecía el bosque, ahora el suelo estaba árido. Y si alguna vez llovía, el agua se evaporaba enseguida. Los pájaros no encontraban sombra alguna y caían extenuados al suelo. Pero la gente seguía cortando madera...

Un día, todos se encontraron alrededor de un gran árbol. Iban a empezar con sus sierras y sus hachas, cuando se dieron cuenta de que se trataba del viejo cedro. El bosque que antes lo rodeaba había desaparecido por completo. El gran cedro era el último árbol que les quedaba. Las colinas se erguían peladas. Detrás se divisaba el desierto. La gente se asustó.

—¡Hemos acabado con nuestro bosque! —gritaron—. ¿Qué vamos a hacer ahora?

Pero nadie sabía la respuesta. La tierra se había secado y estaba cuarteada. Un suave vientecillo trajo granos de arena.

Las arenas se acercaban cada vez más. Se extendían por todos los alrededores. Se apilaban al pie del cedro. Amenazaban con invadir la ciudad. Las gentes se arrancaron los collares de perlas de sus cuellos: ¡eran bolas de cristal! Abrieron los cofres: ¡el oro se había convertido en metal corriente; la plata, en mica! Todos estaban rabiosos. Esperaron a que volvieran los extranjeros, pero éstos no regresaron.

A lo lejos, los mercaderes contemplaban lo que quedaba del bosque. Se
reían. Tenían la madera y con ella podrían construir muchos barcos. No
les importaba que la ciudad se hundiera en la arena. Volvieron la
espalda y empezaron a huir. Pero eso no fue fácil: había arena por todas
partes. De repente empezaron a hundirse en una duna. Cada vez se
hundían más. Y pronto no quedó de ellos más que un sombrero.

—¿Qué debemos hacer? —preguntó la gente, ansiosa.

—¿Cómo podríamos salvarnos del desierto?

Entonces Said y Lea les dijeron:

—Tenéis que plantar de nuevo. En nuestro jardín crecen árboles de todas las especies. Podemos trasplantarlos. Empezaremos con los pinos y los cedros, pues la arena no les impide crecer. Y cuando la tierra se haya asentado, traeremos los demás árboles y los plantaremos junto a ellos. Luego recogeremos sus semillas y las enterraremos en el suelo. Con el tiempo tendremos un pequeño bosque. Y volverán a caer el rocío y la lluvia. Pero para eso aún falta mucho tiempo. Primero tenemos que regar los árboles pequeños por la noche, mientras haya agua en la fuente.

La gente admiró a los niños. E hicieron lo que Said y Lea les habían aconsejado. Trabajaron día y noche. Y por fin volvió a llover.

Y después de muchos meses lograron tener un pequeño bosque.

Los vecinos respiraron. ¡La ciudad estaba salvada! ¡El bosque crecía! Un día, las gentes llegaron a la cabaña de madera situada al extremo de la ciudad. Despertaron a Said y a Lea y los llevaron al bosque.
Allí les dieron las gracias y prometieron cuidar el bosque con cariño. Todos comieron, bebieron y bailaron alrededor del cedro. Y han cumplido su promesa hasta el día de hoy.»

El viejo guardabosque vació su pipa. El alcalde miró pensativo el fuego. Los dos niños callaban. Luego, preguntaron al guardabosque con curiosidad:

—¿Quiénes fueron Said y Lea? ¿Los conociste?

El guardabosque sonrió.

—Sí, claro, fueron mis abuelos.

*Primera edición: mayo 1988*
*Segunda edición: septiembre 1992*
*Tercera edición: septiembre 1993*

Título original: *Der letzte Baum*
© Bohem Press, Zürich, 1977
© Ediciones SM, 1988
   Joaquín Turina, 39 - 28044 Madrid

Comercializa: CESMA, SA - Aguacate, 25 - 28044 Madrid

ISBN: 84-348-2422-1
Depósito legal: M-27232-1993
Fotocomposición: Grafilia, SL
Impreso en España/Printed in Spain
TGA, SL - Mantuano, 27 - 28002 Madrid